예수님을 만나는

가스펠 프로젝트

활용 가이드

Contents

1. 성경 일러스트
벽면에 가로 또는 세로로 일렬로 붙여 연대표로 활용할 수 있습니다.
DVD-Rom에 담긴 성경 일러스트는 최대 A3 사이즈로 확대 출력할 수 있습니다.

2. 악보
단원의 주제를 담은 찬양의 악보입니다.
'가스펠 설교'에서 활용할 수 있습니다. DVD-Rom에 찬양 음원, 악보, 율동 영상이 담겨 있습니다.
"구원을 얻으리", "주의 인자와 긍휼이"

3. 부가자료
'가스펠 준비', '가스펠 설교', '가스펠 소그룹'에서 활용할 수 있는 컬러 자료입니다.

4. 연대표
《구약6-돌아온 하나님의 백성》의 흐름을 익힐 수 있습니다. 각 권별 연대표를 연결하면 성경 파노라마가 연출됩니다.
DVD-Rom에 담긴 구약6 연대표는 최대 A3 사이즈로 확대 출력할 수 있습니다.

5. 복음 – 나를 위한 하나님의 계획
'가스펠 설교'의 '복음 초청'에서 활용할 수 있습니다.
DVD-Rom에 담긴 복음 초청 자료는 최대 A3 사이즈로 확대 출력할 수 있습니다.

구약 6-1

다니엘은 하나님께 순종하기 위해 왕이 정한 음식을 먹지 않았어요.

구약 6-2

하나님은 불 속에 던져진 사드락, 메삭, 아벳느고와 함께하셨고, 그들을 구해 주셨어요.

다니엘은 하나님께 신실했고, 하나님은 그를 구하셨어요.

구약 6-4

하나님이 고레스왕의 마음을 바꾸셔서 이스라엘 백성이 고향으로 돌아오게 하셨어요.

구약 6-5

하나님은 하나님의 백성이 성전을 다시 짓도록 도우셨어요.

구약 6-6

에스더는 자기 민족을 돕기로 했어요.

하나님은 하나님의 백성을 구하기 위해 에스더를 사용하셨어요.

구약 6-8

느헤미야는 하나님의 백성이 예루살렘 성벽을 다시 세울 수 있도록 도와 달라고 하나님께 기도했어요.

구약 6-9

하나님은 느헤미야가 하나님의 백성을 이끌고 예루살렘 성벽을 다시 세우게 하셨어요.

구약 6-10

에스라가 하나님의 말씀을 읽자, 백성은 그들의 잘못을 깨달았어요.

구약 6-11

말라기는 타락한 하나님의 백성에게 회개하라고 경고하며 예수님이 오실 것이라고 예언했어요.

주의 인자와 긍휼이

작사 : 김성호
작곡 : 김성호

33
C D7 Bm7 Em
주 의사 랑 은 영 원 하 며 -
37
C D7 G G7
주 의말 씀 은 능 력 이 시 라 -
41
C D7 Bm7 Em7
주 의 약 속 을 믿 는 자 는 -
45
C Am7 D7
D.S. al Coda
구 원 함 을 얻 을 것 이 라 -

구원을 얻으리

작사 : 김성호
작곡 : 김성호

성경 도서관

구약
창세기
출애굽기
레위기
민수기
신명기
여호수아
사사기
룻기
사무엘상
사무엘하
열왕기상
열왕기하
역대상
역대하
에스라
느헤미야
에스더
욥기
시편
잠언
전도서
아가
이사야
예레미야
예레미야애가
에스겔
다니엘
호세아
요엘
아모스
오바댜
요나
미가
나훔
하박국
스바냐
학개
스가랴
말라기
신약
마태복음
마가복음
누가복음
요한복음
사도행전
로마서
고린도전서
고린도후서
갈라디아서
에베소서
빌립보서
골로새서
데살로니가전서
데살로니가후서
디모데전서
디모데후서
디도서
빌레몬서
히브리서
야고보서
베드로전서
베드로후서
요한일서
요한이서
요한삼서
유다서
요한계시록

구약6 **연대표**

1 **다니엘과 친구들**
포로 생활 중에도 하나님께 순종했어요

2 **사드락, 메삭, 아벳느고**
불 속에서 지켜 주셨어요

3 **사자 굴**
다니엘을 구하셨어요

4 **고향으로 돌아오다**
하나님의 백성을 고향으로 돌아오게 하셨어요

5 **성전 재건**
다시 성전을 지었어요

6 **에스더**
페르시아의 왕비로 세우셨어요

7 **하만의 음모**
에스더를 통해 백성을 구하셨어요

8 **느헤미야**
예루살렘 성벽이 무너졌다는 소식을 들었어요

9 **예루살렘 성벽**
방해를 이겨 내고 성벽을 다시 세웠어요

10 **에스라**
에스라가 하나님의 율법을 읽었어요

11 **말라기**
경고와 구원의 메시지를 선포했어요

THE GOSPEL

나를 위한 하나님의 멋진 계획

하나님은 세상을 만드셨단다

하나님은 온 세상을 만드셨어.
하늘, 땅, 나무, 새…. 그런데 더 놀라운 것은 사람을 만드셨다는 거야. 바로 우리(너)를 하나님이 만드셨어.
그리고 우리(너)를 사랑하신다고 성경에서 말하고 있어(요 3:16). 그래서 하나님은 우리와 항상 함께 살기를 원하시지 (창 1:1; 골 1:16~17; 계 4:11).

예화 네가 정성을 다해 만든 작품이 소중하듯이 하나님이 너를 만드셨기 때문에 네가 매우 소중한 거야.

사람들은 죄를 짓고 하나님을 떠났어

모두 죄를 지었다고 성경은 말하고 있어(롬 3:23).
죄는 하나님께 불순종해 하나님이 기뻐하시지 않는 말이나 행동을 하는 거야(욕심, 거짓말, 싸움 등).
하나님은 거룩하신 분이기 때문에 죄를 가진 우리는 하나님과 함께 살 수 없게 되었단다.
사람들은 죄 때문에 하나님과 멀어져 결국 죽을 수밖에 없는 벌을 받게 되었어(롬 6:23).

하나님은 구원 계획을 갖고 계신단다

하나님은 우리(너)를 너무 사랑하셔서 우리(너)와 함께 살기를 원하셔. 그래서 대신 벌을 받기로 계획하셨어.
죄가 없으신 하나님의 아들 예수님을 이 땅에 보내셔서 우리가 받아야 할 죄의 벌을 받지 않도록 구원해 주신 거야.
죄인인 우리는 아무리 노력해도 해결할 수 없거든(요 3:16; 엡 2:8~9).

예화 손이 더러우면 어떻게 해야 깨끗해질까? 물로 씻어야겠지? 그런데 거짓말을 했을 때 물로 씻는다고 깨끗해질까?

예수님이 우리에게 생명을 주셨어

예수님은 완전하신 하나님의 아들이시지만 이 세상 사람의 몸으로 태어나셨어.
아무런 잘못이 없으시지만 우리의 죄를 용서해 주시기 위해 십자가에서 죽으셨어. 예수님은 우리의 죄를 위해 죽으시고(히 9:22) 3일 만에 다시 살아나셨어.
우리를 사랑하시는 하나님이 우리가 하나님과 함께 영원히 살 수 있는 길을 만드신 것이지. 이것이 우리를 위해 계획해 놓으신 최고의 선물이야(롬 5:8; 고후 5:21; 벧전 3:18)!

예수님! 우리 마음에 오세요!

성경은 영접하는 자 곧 그 이름을 믿는 자는 하나님의 자녀가 된다고 말하고 있어(요 1:12; 롬 10:9~10, 13).
'영접'은 손님이 문밖에서 두드리면 문을 열고 안으로 모시듯이 예수님을 "제 마음에 들어오세요" 하고 맞이하는 거야.
'믿는다'라는 것은 예수님이 나의 죄를 위해 십자가에 죽으시고 다시 살아나셨음을 진심으로 믿는다는 뜻이야.